D1096611

VERSE#2

VERSE
#2

JJ PROJECT MINI ALBUM 1 'VERSE 2' IN THE LANE HOUR

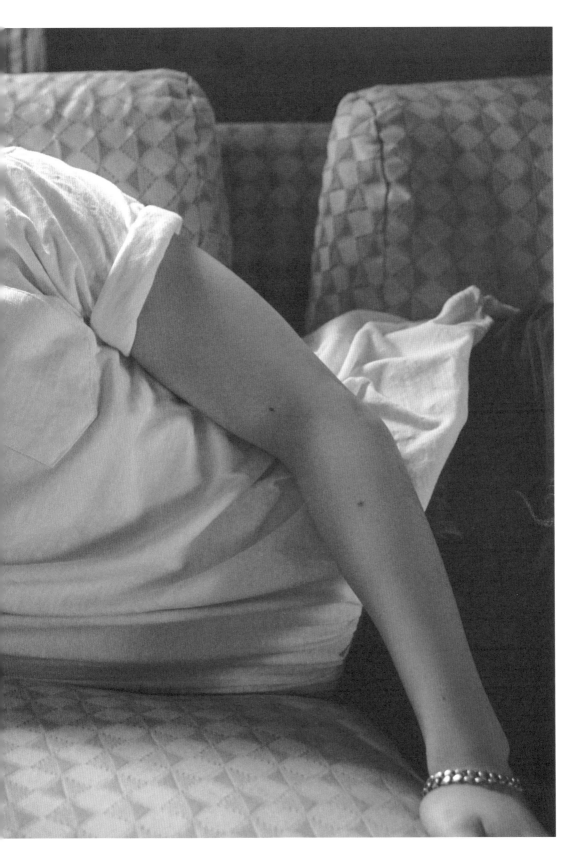

JB
LIM JAEBEOM

이 앨범이 나오도록 도와주신 박진영 피디님, 정욱 사장님, 조해성 부사장님, 변상봉 부사장님, 표종록 부사장님, 의원누나 감사드립니다. 덕분에 좋은 앨범이 나오게 되었습니다. 감사합니다. 그리고 많은 JYP 식구들께 매번 감사함을 느낍니다. 항상 말은 잘 못하지만 모든 분들 덕분에 앨범이 나올 수 있는 거라 생각하고 저희도 매번 더 열심히 하게 되는 것 같습니다. 감사합니다!! 이번 앨범 같이 작업해주시고 좋은 곡 보내주신 작곡가분들도 너무 감사드립니다!! 안무 만들어주시느라 매번 고생하시는 남용이형, 형웅이형, 광열이형, 태훈이형 덕분에 좋은 안무 나왔어요~ 감사합니다. 그리고 A&R본부 지영누나, 지영누나, 보현누나, 하나누나, 정민누나, 태은누나, 아라누나 매번 덕분에 좋은 곡들과 좋은 뮤비 찍을 수 있어서 다행입니다. 어떻게 해야 더 좋은 작품이 나올지 고민해주셔서 감사합니다!! 그리고 보이지 않는 곳에서 저희를 위해서 많이 고생해주시고 고민해주시는 모든 JYP 식구들께 감사드립니다!! 이번에 좋은 뮤비 찍어주신 VISUALSFROM, 정진수 감독님과 형들께 감사드리고 현장에서 고생해주신 많은 스탭분들께도 감사드립니다! 그리고 좋은 사진 찍어주신 목정욱 작가님께도 감사드립니다. 덕분에 멋진 사진 많이 나왔습니다!! 그리고 의상팀!! 안석이형과 수정이누나 그리고 현장에서 같이 고생해준 지은누나까지, 저희를 멋스럽게 만들어주셔서 감사합니다~!! 그리고 매번 고생해주는 매니저, 다영누나, 경연이형, 성수형 고생 많아요~ 고맙고 앞으로도 잘 부탁해요 매번 헤어, 메이크업으로 우리를 한층 더 잘생겨 보이게 만들어주시는 제이샵 제이이사님, 은미누나, 민지누나, 감사드리고 다른 스탭분들께도 감사드립니다~^^ 그리고 매일매일 아들 걱정하시는 부모님께 감사드립니다~~ 그리고 사랑합니다~~ GOT7 멤버들 JJ 유닛 응원해줘서 고마워~ GOT7도 열심히 준비하자~ 그리고 JJ Project 기다려주신 많은 팬 여러분들, 오래 기다리게 해서 죄송하고 감사드립니다. 앞으로도 좋은 모습 많이 보여드릴게요. 감사드려요~ 마지막으로 PARADISE, 다들 같이 재밌게 열심히 지내줘서 고마워~~ 앞으로도 잘해봅시다. 지금까지 Def. 였습니다.

JINYOUNG
PARK JINYOUNG

안녕하세요. GOT7의 박진영입니다. 5년 만에 JJ가 나왔네요. 많은 팬분들과 많은 분들의 도움으로 다시 나오게 되었는데 감회가 새롭고 정말 설레네요. 나의 가족, 아버지 어머니 우리누나들 언제나 나의 편 나의 가족, 사랑해요. 박진영 피디님, 이번에 좋은 곡에 같이 참여할 수 있어서 너무너무 재밌었습니다. 감사합니다! 정욱 사장님, 언제나 응원해주셔서 고마워요. 곡이 다 좋다고 했을 때 너무 기뻤어요. 결혼 축하드려요! 혜성이형, 정말 친구처럼 대해주시면서 아낌없는 충고로 마음 항상 잡고 있어요. 표 부사장님, 언제나 응원해주시면서 많이 가르쳐주셔서 고마워요. 더 열심히 해볼게요. 변 부사장님, 자주 뵙지는 못하지만 언제나 저희들을 위해서 힘써주셔서 감사합니다. 매니지먼트팀 희원 팀장님, 언제나 고마워요! 언제나 우리 생각해주셔서 고마워요! 다영이누나, 성수영, 경현이형, 언제나 우리랑 같이 현장에서 뛰어줘서 고마워요. 마케팅팀 아람 팀장님, 리원누나, 수진누나, 지혜부누나, 예진 누나, 자성이형, 선미누나, 윤정누나, 지은누나, 승희누나, 무준이형, 뒤에서 항상 뛰어줘서 고마워서. 너무 고마워요. 퍼포먼스 디렉팅팀 남용이형! 항상 감사합니다! 우리 형용이형, 형과 함께 멋진 안무 만들어가서 좋아요. 광열이형, 태훈이형 없지만, 용준 형, 푸루형, 재원이형, 태성이형, 승민이, 신형이형, 만균이형!! 무대에서 항상 같이 해줘서 고마워요. 다음에 또 같이 작업해요. A&R본부 지영누나, 하나누나, 정민누나, 지영누나, 보연누나, 태온누나, 아라누나, 이번 뮤직비디오, 사진, 노래, 앨범 모두 너무너무. 잘 나왔어요. 여러분의 힘이 없었으면 불가능했을거에요. 너무너무 고마워요. 사업팀 은욱누나, 승은누나 홍보팀 상호이사님, 윤지과장님, 서운대리님. 그리고 많은 직원분들 경영기원팀 용호팀장님, 효정차장님, 윤주차장님, 진영과장님 그리고 많은 직원 분들 이번에 같이 곡 작업한 언제나 나와 함께해주는 용훈이형, 준형! 솔로곡 같이 만든 적재형, 대관이형, 로얄다이브, 그리고 앤드류영 너무너무 고마워요. 케빈형, 건우형, Devine Channel 작곡 가님, 포토그래퍼 목정욱작가님, VISUALSFROM, 정진수 뮤바감독님, 의상팀 한석이형, 수정누나, 지은누나 너무너무 수고했어요. 헤어메이크업 제이샵 제이이사님, 민지누나, 은머누내 너무너무 고생해줘서 고마워요. 우리 더 잘해나갑시다! 아... 그리고 제가 혹시 쓰지 못했더라도 저와 함께하신 모든 분들께 감사의 마음을 전합니다. 그리고 우라 멤버들 이번에 앨범이 나오게 됐고, JJ 나올 때 응원용 너무 많이 해줘서 너무 고마워어. GOT7이 없었다면 많이 힘들었을 거야. 고맙다 멤버들. 잊은 줄 알았겠지만 우리 아가새분들은 참 신기하죠? JJ도 나오고 여러분들이 없었으면 이렇게 멋지게 시도조차 못 했을 거에요. 우린 GOT7이니까 걱정 말고 같이 가요. 가장 고마운 우리 팬분들, 아가새가 없다면 우린 없을거에요. 감사하고 또 감사해요. 가수이기 천에 아름다운 사람이 되는 GOT7, JJ의 진영이가 되겠습니다.

JJ PROJECT MINI ALBUM

VERSE #2

COMING HOME
TOMORROW, TODAY 내일, 오늘
ON&ON
ICARUS
DON'T WANNA KNOW
FIND YOU
THE DAY 그날
FADE AWAY

GENIE MUSIC   genie